Les petits malins

FANTOMES

Les petits malins

FANTOMES

Caroline Young
Expert-conseil : Tim Dedopulos

Rédaction : Cheryl Evans
Maquette : Karen Tomlins

Illustrations : Graham Humphreys

Directrice de la collection : Judy Tatchell
Maquette de la collection : Ruth Russell
Traduction : Françoise Blits

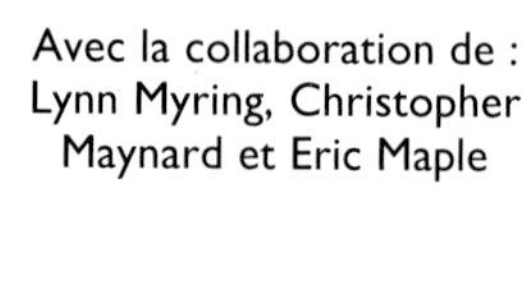

Avec la collaboration de :
Lynn Myring, Christopher
Maynard et Eric Maple

SOMMAIRE

Qu'est-ce qu'un fantôme ?

Un fantôme est supposé être l'esprit d'une personne morte qui hante les vivants sous la forme d'une ombre pâle. Nous ne devenons pas tous fantômes, tout le monde ne les voit pas et nous n'y croyons pas tous. Mais ceux qui croient aux fantômes disent qu'il en existe plusieurs sortes qui subsistent dans ce monde pour des raisons nombreuses et variées. En voici quelques-unes parmi les plus courantes.

Les esprits vagabonds

Quelques esprits sans repos hantent désespérément les lieux où ils vécurent, ou bien où ils sont morts. Souvent il leur est arrivé quelque chose de très traumatisant (un meurtre, par exemple) et ils revivent cette scène, là où elle s'est déroulée, éternellement.

Les esprits messagers

Certains fantômes semblent avoir un message à transmettre à tout prix, en général à quelqu'un qu'ils ont bien connu. Dans un cas étrange au dix-huitième siècle, une veuve hollandaise reçut la visite d'un esprit lui disant que son mari lui devait 25 000 guldens. Le fantôme de son mari vint à son tour et lui révéla où trouver la preuve que la dette avait été payée et que l'argent n'était absolument plus dû.

Esprits ou visions ?

Il arrive que le fantôme d'une personne encore en vie apparaisse juste avant sa mort. L'esprit d'un soldat gravement blessé sur un champ de bataille peut rendre visite à des proches avant de mourir, comme pour dire adieu. Il est aussi possible que l'on voie son propre fantôme. Cette vision étrange est considérée comme un mauvais présage. Ainsi, le poète anglais Shelley qui vit son double, *doppelganger* comme il l'appelait, en 1822 alors qu'il vivait en Italie au bord de la mer, mourut noyé quelques semaines plus tard.

Autour du monde

Tout autour du globe, les histoires de fantômes sont plus ou moins identiques. Les esprits ne pouvant trouver le repos effraient beaucoup les gens. Mais on trouve aussi des histoires de fantômes consolateurs. Dans certains pays, le monde des esprits est vu comme une partie naturelle de la vie quotidienne ou de la religion.

Les esprits frappeurs

Lorsqu'on est en présence d'un esprit frappeur, les meubles volent, des mains invisibles pincent ou tirent les cheveux et on peut même être propulsé dans les airs. Ces phénomènes étranges se produisent souvent autour de personnes jeunes. Selon certains experts, c'est l'énergie dégagée par le corps en pleine croissance qui permettrait l'activité de ces esprits. Les esprits frappeurs ne seraient donc pas vraiment des fantômes.

Les maisons hantées

Beaucoup de maisons doivent leur célébrité aux phénomènes étranges qui s'y sont déroulés et dont voici quelques exemples.

Comment reconnaître une maison hantée ?

Des os cachés peuvent suggérer une mort violente dans la maison.

De mystérieuses traces de pas apparaissent spontanément.

Des portes et des fenêtres s'ouvrent et se ferment toutes seules, sans raison.

Des chutes d'objets ou des coups frappés dans des pièces vides.

Passe-murailles ?

Dans une vieille maison, la disposition des pièces peut avoir changé plusieurs fois au cours des années. Des portes sont condamnées et de nouveaux murs construits.

Les fantômes continuent à passer aux mêmes endroits, ignorant les modifications apportées dans la maison.

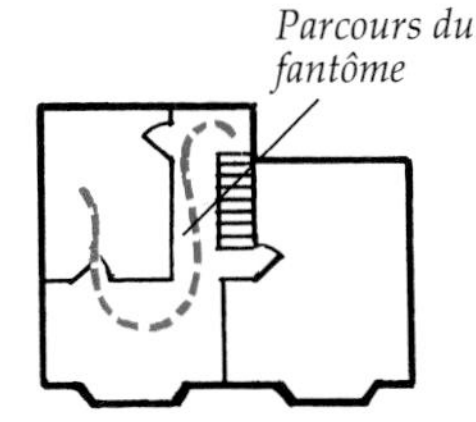

Plan de la maison en 1896

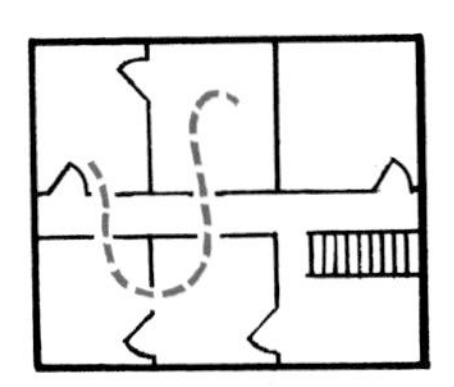

Plan de la maison en 1996

Les apparitions d'Amityville

Il y a quelques années Ronald DeFeo, qui vivait à Amityville près de New York, assassina parents, frères et sœurs dans la maison familiale. Cette maison, pourtant assez récente, fut par la suite le théâtre de phénomènes étranges.

De nouveaux locataires courageux

La famille Lutz emménagea dans la maison après le procès de DeFeo. Ils furent très vite effrayés par des portes et des fenêtres s'ouvrant toutes seules, des yeux rouges brillant dans le noir et des traces de pieds fourchus dans la neige.

Départ précipité

Lorsqu'une sorte de matière visqueuse et verte commença à suinter le long des murs, ils s'en allèrent. Les Lutz gagnèrent beaucoup d'argent en racontant l'histoire de leur séjour à Amityville. Aujourd'hui on pense que tous les phénomènes pouvaient être des truquages – mais personne n'en est vraiment sûr.

Il peut aussi y avoir des taches de sang indélébiles.

Une silhouette glissant d'une pièce à l'autre au travers des murs.

Une horloge sonne treize coups... fantôme dans les parages.

Des mains invisibles jouent une mélodie sinistre sur un vieux piano.

Le presbytère de Borley

Ce presbytère était situé dans un endroit désolé du Suffolk, en Angleterre. Jusqu'à ce qu'un incendie le détruise en 1939, on l'appelait souvent « la maison la plus hantée d'Angleterre ».

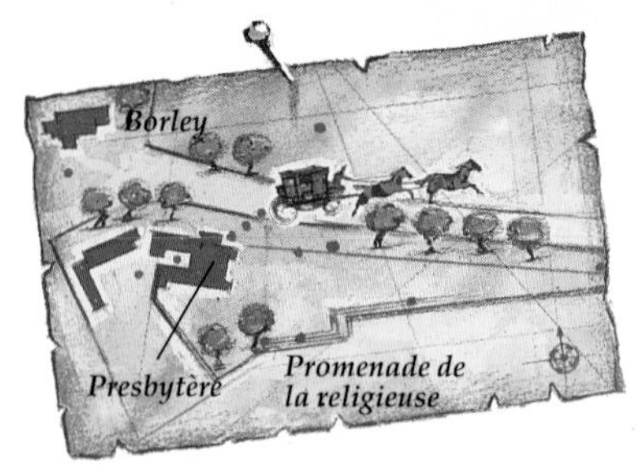

Plan du presbytère de Borley

La religieuse

L'ombre du visage d'une religieuse regardant par la fenêtre avait maintes fois surpris des passants. D'autres l'avaient aperçue marchant rapidement sur un sentier du jardin que l'on avait fini par appeler « promenade de la religieuse ». Personne ne sut réellement ce qui la retenait sur ces lieux, mais tout le monde supposait qu'elle avait été punie pour avoir tenté de s'enfuir avec un moine.

La religieuse triste

Où va cette diligence ?

La diligence fantôme

Plusieurs habitants de Borley racontèrent avoir vu une diligence noire passant silencieusement le portail du presbytère à grande allure. D'autres parlèrent de pierres volant au travers des fenêtres, de cloches invisibles sonnant et de mystérieux bruits de pas. Aujourd'hui le presbytère de Borley est une ruine, mais on peut toujours le visiter et tenter d'apercevoir l'ombre de ces fantômes...

L'étrange maison Winchester

Les Winchester, riche famille américaine, fabriquaient des fusils. Quand le mari de Sara mourut, celle-ci déclara que des esprits lui avaient demandé de construire une maison pour abriter les fantômes de toutes les personnes tuées par les fusils Winchester.

Un labyrinthe ahurissant

Sara disait que les plans de construction donnés par les esprits changeaient sans arrêt et la maison devint un labyrinthe géant : escaliers menant nulle part, portes ouvrant sur le vide, pièces murées.

Banquets solitaires

Sara donnait des banquets dans la maison pour des invités fantômes qu'elle était seule à voir et elle dormait dans une chambre différente chaque nuit. De nos jours, cette maison est devenue une grande attraction touristique.

Les fantômes de la haute mer

Les marins sont bien connus pour leurs extraordinaires récits de mésaventures insolites ainsi que de mystérieux avertissements. Peut-être le danger et la vie à la merci d'océans puissants et imprévisibles les ont-ils rendus plus superstitieux...

Ce vaisseau fantôme s'appelle Libera Nos.

Les marins disaient que la coque du vaisseau fantôme était peinte en jaune vif.

Le Libera Nos

Les marins traversant le Pacifique redoutaient de croiser le vaisseau fantôme Libera Nos. On disait que le malheur poursuivait ceux qui l'avaient aperçu, baigné d'une lumière sinistre, avec son équipage de squelettes.

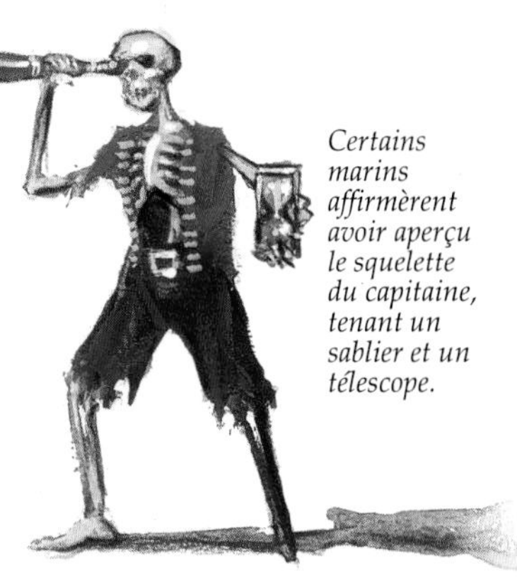

Certains marins affirmèrent avoir aperçu le squelette du capitaine, tenant un sablier et un télescope.

En 1871, le capitaine du Libera Nos força son équipage terrifié à naviguer dans une terrible tempête. Soudain, une forme brillante apparut dans la cabine du capitaine et lui conseilla de faire demi-tour. Ce dernier ignora le conseil, prit son revolver et tira. Le spectre maudit le capitaine et son équipage en les condamnant à parcourir les mers pour l'éternité. Il ajouta qu'une malédiction s'abattrait sur tous les bateaux qui croiseraient le Libera Nos. Au siècle dernier, plusieurs équipages rapportèrent avoir vu le Libera Nos. Les marins racontaient que l'incandescent navire disparaissait dès qu'il avait doublé le leur. Dans presque tous les cas, des tragédies suivirent cette vision.

Le Great Eastern

En 1858, le Great Eastern était le plus grand paquebot du monde. Mais dès le début, il fut la proie du mauvais sort. Certains ouvriers furent tués durant sa construction et l'un d'eux disparut. Lors de son premier voyage une cheminée explosa, tuant six personnes, et la roue à aubes fut brisée dans une tempête. Les passagers se plaignaient d'entendre des coups de marteau venant de la cale alors que personne n'y travaillait. Lorsqu'en 1885, le bateau fut mis à la casse, on trouva un squelette dans la coque. Était-ce celui de l'ouvrier disparu ? Étaient-ce ses coups de marteau fantomatiques que les passagers entendaient ?

Le Mary Celeste

Le 4 novembre 1872, le Mary Celeste leva l'ancre de New York pour Gênes, en Italie. Le capitaine Briggs, sa femme, sa fille et huit membres d'équipage étaient à bord. Le 25 novembre, dernière entrée du journal de bord, le capitaine enregistra la position exacte du bateau.

Le bateau déserté

Dix jours plus tard, un autre bateau, le Dei Gratia, vit le Mary Celeste dérive et envoya trois marins à son bord.

Ils ne trouvèrent personne, aucun indice de l'endroit où tout le monde était parti et pourquoi. Seul un petit déjeuner intact était resté sur la table...

Un mystère

L'enquête n'arriva pas à élucider ce qu'il s'était passé sur le Mary Celeste. Le bateau fut vendu mais aucun marin ne voulut naviguer dessus, pensant qu'il était maudit.

Le Hollandais Volant

Le Hollandais Volant, souvent aperçu au large du cap de Bonne-Espérance, en Afrique du Sud, est sans aucun doute le navire fantôme le plus célèbre.

Les marins affirment qu'un malheur suit toujours l'apparition du navire fantôme.

Le capitaine du bateau avait refusé de rentrer au port pendant une violente tempête au large du cap. Le malheureux bateau coula et tout le monde à son bord périt.

Le fantôme du pirate

À l'époque où la plupart des marchandises étaient transportées par bateau, des pirates écumaient les mers pour essayer de les piller. Le capitaine Kidd, un célèbre pirate, fut capturé et condamné à mort en 1701. Il fut pendu et son cadavre fut exposé pour servir d'exemple. On raconte que, depuis, son fantôme hante la côte de la Nouvelle-Angleterre à la recherche d'un butin.

La pendaison du capitaine Kidd

Un navire en perdition

En 1959, deux bâtiments de la marine britannique partirent au secours d'une barge de débarquement en difficulté au large du Devon, en Angleterre. Elle arborait les couleurs de la marine de la France Libre durant la Deuxième Guerre mondiale. À leur approche, elle disparut.

Le sous-marin hanté

Une malédiction semblait planer sur le UB65, un sous-marin allemand de la Première Guerre mondiale. Plusieurs personnes trouvèrent la mort pendant sa construction et de terribles accidents se produisirent à son bord dès le début.

Une série de désastres

Les marins furent presque étouffés par des fumées venant des moteurs, d'autres personnes moururent lorsqu'une torpille explosa au cours de son embarquement et on commença à apercevoir à bord le fantôme d'un des officiers mort pendant l'explosion. Plus tard, pendant la guerre, un navire américain aperçut le UB65 dérivant. Soudain il explosa et coula.

Alors qu'il s'enfonçait dans l'eau pour la dernière fois, les marins américains virent le fantôme de l'officier apparaître.

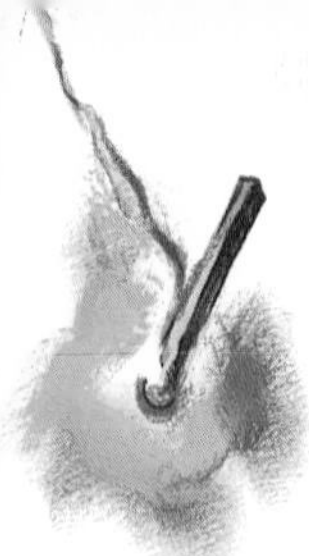

Les esprits bruyants

Les esprits frappeurs sont une véritable nuisance et ils font de la vie des enfants autour desquels leur activité se produit un réel cauchemar. Les personnes qui ont été victimes de ce phénomène n'ont plus jamais été les mêmes.

Bouteilles brisées à Turin

En 1900, à Turin, les clients d'un bar commencèrent à être dérangés par des bruits de bouteilles brisées venant de la cave. Lorsqu'un expert vit des meubles, des vêtements et des chaussures voler à proximité de cet endroit, il conclut qu'il s'agissait d'un esprit frappeur. Pour lui, le seul moyen d'arrêter ces phénomènes était de renvoyer le jeune serveur qui travaillait dans le bar.

Après le renvoi du serveur les bruits s'arrêtèrent.

Le mal d'Esther

La famille Cox, qui vivait à Amherst, au Canada, fut aussi confrontée à ce phénomène en 1889. Tout commença lorsque Esther Cox, âgée de dix-sept ans, entendit sous son lit des bruits étranges qui se transformèrent en coups assourdissants. Une nuit, Esther se mit à gonfler comme un ballon et ses cheveux se dressèrent sur sa tête. Des messages de menace apparurent sur les murs de sa chambre et des allumettes enflammées se mirent à tomber sur son lit. Esther tomba malade et quitta la maison. Quand elle revint, les choses s'apaisèrent peu à peu.

La sorcière des Bell

En 1817, dans le Tennessee, « quelque chose » commença à hanter la maison de la famille Bell. Cette chose, qu'ils finirent par appeler la « sorcière des Bell », tirait les draps des lits, giflait les membres de la famille et remplissait la maison de sifflements et de grincements.

Lorsqu'en 1820 M. Bell mourut soudainement, la sorcière déclara qu'elle l'avait empoisonné. Ils trouvèrent un peu plus tard un mystérieux flacon contenant un liquide dont quelques gouttes suffirent à tuer leur chat.

La sorcière des Bell finit par disparaître, en promettant toutefois de revenir sept ans plus tard. La famille Bell l'attend toujours...

Une force surnaturelle

Une famille brésilienne fut aussi harcelée en 1972 par un esprit frappeur. Les Riberio étaient dans leur appartement lorsque les meubles se mirent à voler. Une brique frappa M. Riberio à la tête et « quelque chose » ébouillanta sa fille en lui arrachant des mains la bouilloire brûlante qu'elle tenait. Les experts ne trouvèrent pas de solution et la famille dut s'enfuir. Certains disent que l'esprit frappeur les a suivis.

Les châteaux hantés

Théâtres d'événements historiques bien souvent dramatiques et violents, avec au cours des siècles leur chapelet de revenants, les châteaux sont donc une source inépuisable d'histoires de fantômes. Nous vous en proposons quelques exemples sur ces deux pages.

Le château de Glamis

On raconte que le château de Glamis, situé dans le nord de l'Écosse, n'abrite pas moins de dix fantômes. L'un d'entre eux est celui d'une femme sans langue que l'on voit parfois courir dans le parc criant et montrant sa bouche ensanglantée.

Le château de Crathes

Crathes, près d'Aberdeen, est un autre château hanté écossais. Au cours des siècles, de nombreuses personnes ont raconté avoir vu une femme habillée de vert sortant un bébé de la cheminée d'une des pièces. Il y a quelques années, les os d'une femme et d'un bébé furent effectivement découverts sous cette cheminée.

Les fantômes français

La France possède aussi de nombreux châteaux remplis de pensionnaires fantomatiques.

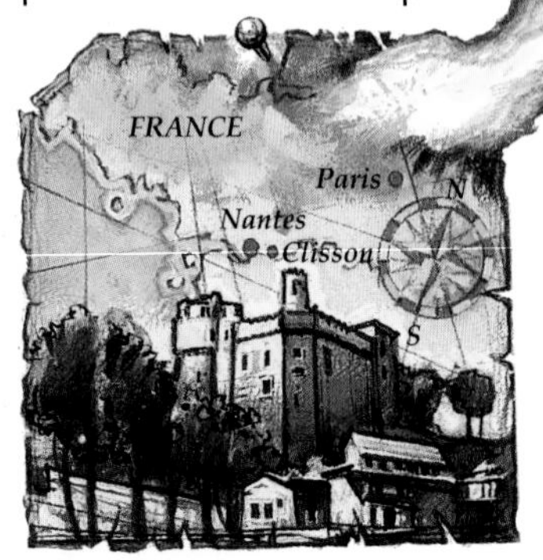

Une terrible vengeance

Accusé de traîtrise, le second mari de Jeanne de Belleville fut décapité sur les ordres du roi Philippe VI de Valois. Pour se venger, Jeanne décida de prendre la mer avec trois bateaux pour attaquer les navires du roi et tuer ses hommes. Son règne de terreur prit fin lorsque le roi mourut, mais on raconte que son esprit hante toujours les remparts de Clisson.

Blandy

Chaque 1er novembre, des fantômes voleraient autour du château fort de Blandy, près de Paris. Certains auraient même vu le spectre du comte de Blandy en armure sur un cheval blanc.

Une reine malheureuse ?

La construction du château de Versailles, commencée par Louis XIII, fut poursuivie par Louis XIV, qui en fit un somptueux palais. Louis XVI et Marie-Antoinette y vécurent jusqu'à la révolution de 1789. Ils furent décapités en 1793.

Le Petit Trianon

En 1901, deux femmes se dirigeant vers le Petit Trianon, situé dans les jardins du château de Versailles, eurent la sensation que tout le jardin devenait irréel. Elles virent alors des gens en costume d'époque et une femme qui dessinait.

Un visage familier

Les deux femmes reconnurent la dessinatrice grâce aux portraits de Marie-Antoinette et restèrent persuadées avoir vu le fantôme de l'infortunée reine.

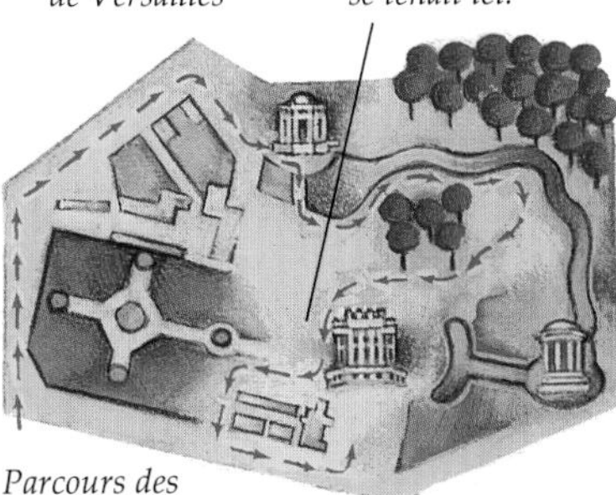

Plan des jardins de Versailles

La dessinatrice se tenait ici.

Parcours des deux femmes

La Tour de Londres

La lugubre Tour de Londres a été le témoin d'innombrables morts épouvantables. Ce lieu était utilisé comme prison et de nombreux ennemis de la couronne y furent jetés pour ne jamais en ressortir.

Des crimes infâmes

L'une des histoires de revenants les plus tragiques est celle des deux princes prétendants au trône vers la fin du quinzième siècle. Des rivaux voulaient leur mort et, en 1483, les deux enfants furent emprisonnés puis assassinés dans la Tour.

On ne connut jamais l'assassin, mais beaucoup soupçonnèrent Richard, leur oncle, qui devint roi après leur mort.

En 1647, on trouva les squelettes de deux garçons. Ils furent enterrés et les princes arrêtèrent alors de hanter les lieux.

L'esprit de personnages célèbres

Les personnages importants et puissants semblent souvent connaître une fin de vie plus traumatisante que la plupart des gens. Ce n'est pas surprenant, en effet, que certains d'entre eux refusent de quitter ce qui fut le théâtre de leur pouvoir.

Le président Lincoln

L'esprit du président américain Abraham Lincoln semble posséder cette incroyable volonté de rester dans ce monde.

Un visiteur régulier

Abraham Lincoln fut assassiné en 1865. Depuis, son fantôme a été vu dans beaucoup de pièces de la Maison Blanche, la résidence des présidents américains. Un hôte important, la reine Wilhelmine des Pays-Bas, l'aperçut en 1943.

Le train fantôme

On dit que le train funéraire qui transporta le corps du président au travers de l'état de New York hante encore le parcours qu'il emprunta. Lorsqu'il passe dans les gares, les pendules s'arrêtent et on voit à son bord une fanfare de squelettes.

Le fantôme de Napoléon

Napoléon Bonaparte fut extrêmement puissant mais en 1821, ses ambitions ruinées, il fut exilé dans la lointaine île de Sainte-Hélène.

Le 5 mai, un homme grand, le visage à moitié couvert par un chapeau et une cape, rendit visite à la mère de Napoléon, qui vivait à Rome.

Il lui annonça que son fils était mort le jour même. Elle fut étonnée, car à cette époque, il était impossible d'aller aussi vite de Sainte-Hélène à Rome.

Plusieurs mois plus tard, on lui confirma que son fils était bien mort le 5 mai. Elle comprit alors que c'était l'esprit de ce dernier qui était venu ce jour-là.

Les femmes d'Henri VIII

Henri VIII eut six femmes, dont la plupart connurent une fin tragique. Trois d'entre elles continuent de hanter le château d'Henri VIII, Hampton Court, près de Londres.

Une mère triste

Jeanne Seymour, qui mourut peu après la naissance de son fils Édouard, erre dans le château habillée de blanc en tenant une bougie allumée.

Une course désespérée

La cinquième femme d'Henri VIII, Catherine Howard, fut emprisonnée à Hampton Court avant d'être décapitée sur les ordres de son époux. Une nuit, pour implorer sa grâce, elle courut jusqu'à la chapelle où Henri priait. Le roi refusa de lui parler. Catherine Howard ne put échapper à son sort et depuis, son fantôme rejoue cette ultime course pour la vie.

La maîtresse de maison

Anne Boleyn, qui fut également décapitée, hante les pièces et les jardins du château. Si jamais tu visites le château, la carte ci-dessous t'indique les endroits où tu peux apercevoir des fantômes.

Anne Boleyn, la seconde femme

Jeanne Seymour, la troisième femme, habillée de blanc et tenant une chandelle.

La malheureuse Catherine Howard court en criant.

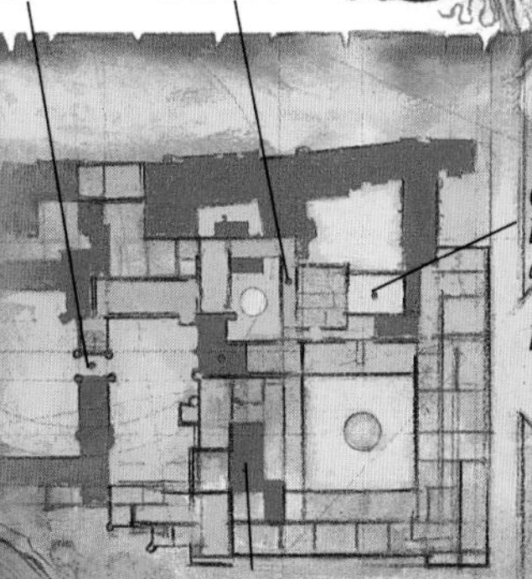

Les fantômes d'animaux

À en croire les histoires que l'on raconte, il semblerait que les animaux puissent également devenir des fantômes.

Les chiens noirs

Dans plusieurs pays il existe d'étranges histoires de chiens noirs. La plus connue vient d'Angleterre. Pendant des siècles, un chien noir serait apparu chaque fois qu'un membre de la famille Vaughn était sur le point de mourir.

Pour ne pas effrayer sa femme, un des M. Vaughn ne lui souffla pas un mot de cette tradition.

Le chien du destin

Un de leurs enfants tomba malade. Un jour, Mme Vaughn sortit en hurlant de la chambre du jeune malade et implora son mari de faire partir le chien noir couché sur le lit de l'enfant. M. Vaughn se précipita à l'étage mais hélas, trop tard. Ainsi qu'il l'avait redouté, son fils était mort et le sinistre chien noir avait disparu.

Le chat monstrueux

En 1968, Margaret O'Brien acheta une vieille maison à Killakee, dans le sud de l'Irlande. Un soir, elle aperçut dans son entrée un chat noir aussi gros qu'un chien. Elle entendit alors une voix profonde dire : « Vous ne pouvez pas me voir. Vous ne savez même pas qui je suis. »

Exorcisme

Margaret finit par demander à un prêtre d'exorciser le chat pendant une cérémonie religieuse pour débarrasser la maison de la présence du fantôme. Ce fut un succès et jamais plus le chat ne réapparut.

Le troupeau fou

Un cow-boy du Texas décida, un peu à la légère, de faire passer son troupeau sur les terres d'un nouveau ranch qui gênait sa route habituelle. Le troupeau s'emballa et tua tout le monde sur son passage.

Les nuits de pleine lune, certains disent avoir aperçu le fantôme du troupeau fou dans le ciel.

Le tigre blanc

Dans les années 1880, Charles de Silva partit chasser dans la jungle indienne. Une nuit, alors qu'il poursuivait un tigre, un lépreux aveugle apparut devant lui. À ce moment précis, un tigre grogna dangereusement à quelques pas d'eux. De Silva s'enfuit mais il entendit les cris du lépreux lorsque le tigre bondit.

Un mangeur d'homme

Les serviteurs de Charles de Silva l'avertirent que le lépreux avait été sorcier et qu'il se vengerait. Il sut que c'était vrai lorsqu'il entendit parler, dans les environs, d'un tigre « mangeur d'homme » blanc de lèpre.

Vengeance

De Silva chassa le tigre blanc et le tua, mais le terrible animal réapparut, prêt à bondir sur sa femme et son fils. De Silva tira, le spectre du lépreux s'éleva devant lui, puis le tigre et le lépreux disparurent. Malheureusement, son fils avait été griffé à la joue et il mourut de la lèpre en une semaine.

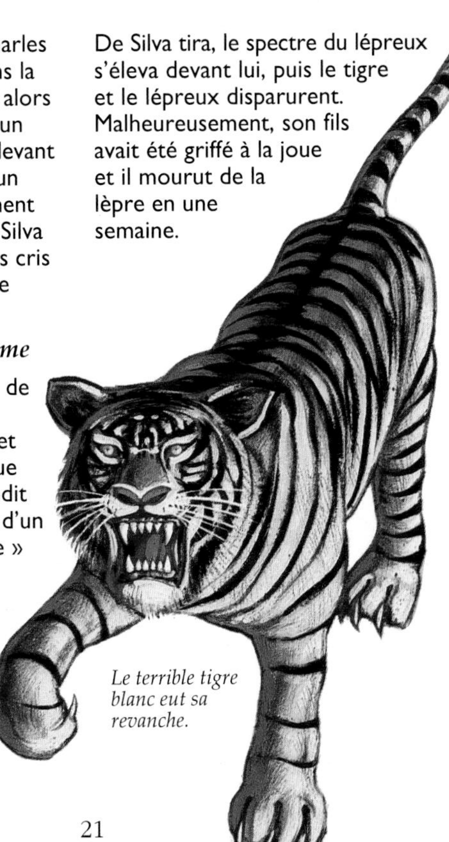

Le terrible tigre blanc eut sa revanche.

Les fantômes de guerre

Les champs de bataille sont des endroits de vacarme, de terreur et de mort. Il n'est donc pas surprenant que ceux qui y meurent reviennent les hanter. Les fantômes de batailles apparaissent quasiment toujours sous la forme d'une armée complète, ce qui est inhabituel puisqu'en principe, les fantômes sont plutôt solitaires. Curieusement aussi, ils sont toujours vus par plusieurs personnes.

La légende royale

Selon la légende, le roi Arthur, roi semi-mythique de Grande-Bretagne au sixième siècle, n'est pas mort mais seulement endormi. Il se réveillera, ainsi que les chevaliers de la Table ronde, pour conduire de nouveau son peuple s'il est confronté à un danger extrême. Il paraît que, chaque nuit de la Saint Jean, le roi Arthur et ses chevaliers en armure, prêts pour la bataille, descendent en chargeant la colline de Cadbury, près de Glastonbury.

Raid viking

Il y a environ mille ans, les Vikings naviguaient dans de longs bateaux et ne mettaient pied à terre que pour voler et détruire. Certaines personnes ont vu se rejouer la scène d'un raid viking qui s'était passée au dixième siècle, à l'abbaye isolée de Iona, en Écosse. Elles purent décrire la scène en détail, expliquant comment l'abbaye brûla et ce que volèrent les pilleurs.

Un retour bruyant

En 1951, deux touristes anglaises visitant le nord de la France furent réveillées tôt le matin par le son d'une mitrailleuse et d'un avion de guerre. La scène se déroula exactement au même moment que la terrible bataille de Dieppe en 1942. Ont-elles été témoins, en différé, de cette page d'histoire ?

La défaite finale

Quelques semaines après la défaite de Napoléon à Waterloo en juin 1815, les habitants virent dans le ciel une reconstitution fantôme de la bataille avec tirs de fusil et charge de cavalerie.

La bataille de Marathon

La bataille fantôme la plus ancienne est sûrement celle qui a opposé les Grecs et les Perses à Marathon, dans la Grèce antique. Les gens commencèrent à voir des apparitions peu après la victoire des Grecs, en 490 avant Jésus-Christ. Ils entendaient les chevaux hennir et les hommes se battre.

Une bataille rejouée

Une des batailles les plus sanglantes de la guerre civile anglaise fut celle d'Edgehill en 1642. Elle opposa les soldats du roi Charles Ier, appelés les Cavaliers, et les hommes de son adversaire, Olivier Cromwell, connus sous le nom de Têtes rondes.

Quelques semaines plus tard, certains racontèrent avoir vu, dans le ciel au-dessus du champ de bataille, le terrible carnage rejoué par une armée fantôme.

Peu de temps après, Charles Ier envoya des hommes à Edgehill pour enquêter. Ils virent aussi le combat fantôme et reconnurent même un des Cavaliers du roi.

Depuis des siècles, la bataille est rejouée à chaque date anniversaire, en octobre et en décembre. De nos jours, la scène est moins nette, comme sur un vieux film.

Les fantômes d'Asie

Il existe des histoires de fantômes dans le monde entier. En voici quelques-unes venant d'Asie.

L'horrible goryo

Au Japon, un goryo est un esprit en colère cherchant à se venger. Il y a trois cents ans, Sogoro, un paysan japonais, devint un goryo parce que sa famille et lui furent injustement tués par leur suzerain. Sogoro s'était plaint au shogoun, le maître du suzerain, des lourds impôts et du travail harassant des paysans. Personne alors n'était autorisé à critiquer un seigneur ouvertement, c'est pourquoi la punition de Sogoro fut la mort.

La vengeance

À peine Sogoro était-il mort que le suzerain commença à faire d'horribles cauchemars et que sa femme eut de terrifiantes visions de Sogoro et de sa famille en train de mourir.

Par la suite, le suzerain fut arrêté pour corruption. Dans sa cellule, en prison, il implora l'esprit du paysan de lui accorder son pardon. Les fermiers élevèrent un monument à Sogoro, leur héros, et enfin, le goryo les laissa en paix.

L'épouse fantôme

Un couple chinois s'aimait tendrement. Lorsque la femme mourut, le mari rompit une pièce en deux

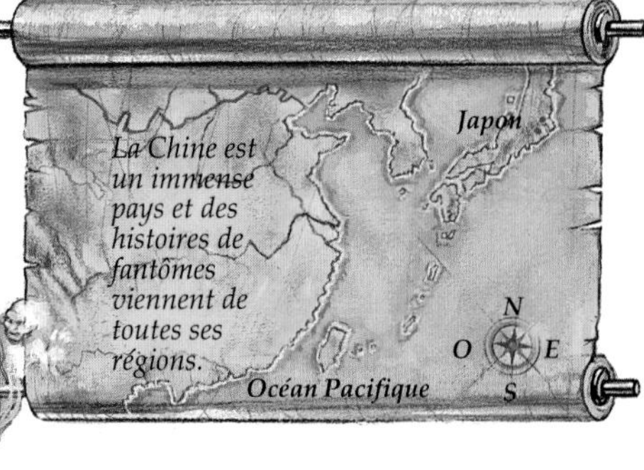

et jeta l'une des moitiés dans le puits où, disait-on, les esprits avaient l'habitude de se rencontrer. On lui avait dit que cela l'aiderait à parler à sa défunte épouse. Il persuada ainsi l'esprit de celle-ci de partir avec lui. Ils atteignirent une ferme isolée. La femmee entra demander un verre d'eau et ne ressortit jamais.

Une longue attente

Désespéré, le veuf décida de rester à la ferme. Au moment même où sa femme avait disparu, celle du fermier avait accouché d'une petite fille qui, curieusement, refusait d'ouvrir son poing droit. Le jour de son dix-huitième anniversaire, la jeune fille ouvrit sa main droite et montra l'autre moitié de la pièce du mari. Les époux de nouveau réunis se remarièrent.

Les tulpas tibétains

Au Tibet, entre la Chine et l'Inde, les gens croient que des esprits appelés tulpas peuvent être ramenés à la vie par une intense méditation. Au début de ce siècle, une journaliste française, Alexandra David-Neel, créa le tulpa d'un moine gras en méditant. Il fut tout d'abord très divertissant mais devint rapidement un fardeau. Il fallut près de six mois pour arriver à « méditer sa disparition ».

Encore des fantômes

Voici encore quelques histoires à donner la chair de poule. Les deux premières se déroulent au cours de voyages, qui semblent très propices au déroulement d'événements étranges.

Une disparition

Aux États-Unis, une nuit, un homme conduisait sous une pluie battante lorsqu'il aperçut une auto-stoppeuse. Il s'arrêta pour la prendre, et s'apercevant qu'elle grelottait, lui prêta sa veste. Quand ils arrivèrent à l'adresse qu'elle avait donnée, elle avait disparu avec la veste.

Interloqué, l'homme frappa à la porte. Une femme lui répondit et lui expliqua que l'auto-stoppeuse était sa fille, laquelle avait été renversée dix ans plus tôt là même où il l'avait vue. Ébranlé par cette histoire, l'homme décida le lendemain de rechercher la tombe de la jeune fille. Il y trouva sa veste bien pliée.

Un accident

Au début du siècle, un colonel britannique était assis seul dans un compartiment du train Londres-Carlisle. Lorsqu'il se réveilla d'un petit somme, il eut la surprise de voir, assise en face de lui, une triste et étrange jeune femme en noir qui fixait quelque chose sur ses genoux.

Le train freina brusquement et une valise en tombant assomma le colonel. Quand il revint à lui, la femme avait disparu. On lui raconta par la suite la triste histoire d'un jeune couple qui avait voyagé dans le même train.

Le mari, en se penchant par la fenêtre, eut la tête tranchée et celle-ci atterrit sur les genoux de sa femme. Le fantôme de cette dernière revit éternellement cette terrible scène.

Une invitée mystérieuse

Lors d'une soirée qu'elle avait organisée à Helsinki pendant l'hiver 1977, Pia Virtakallio vit entrer une femme sans manteau, habillée de vêtements démodés. Personne d'autre ne semblait la voir. Pia vérifia la liste des invités, mais en vain. Plusieurs années plus tard, elle lut un livre sur une artiste qui avait vécu dans cette maison et qui avait été tuée dans un bombardement pendant la Deuxième Guerre mondiale. D'après la photo, Pia reconnut son invitée mystérieuse.

La femme en noir

Une veuve éplorée toute de noir vêtue erre le long des rivières au Mexique. Elle fut autrefois amoureuse d'un jeune homme et crut qu'il l'aimerait davantage si elle n'avait pas d'enfants. Elle décida alors de les noyer. Son fantôme pleure éternellement cet épouvantable geste.

Un fantôme sauveteur

En 1940, Patrick Thompson travaillait près des chutes du Niagara, à la frontière des États-Unis et du Canada. Une nuit, il tomba dans les eaux tourbillonnantes des chutes et se noya. Deux ans plus tard, son fils, Kenneth, glissa également à cet endroit. Ne sachant pas nager, il allait au devant d'une mort certaine. Il sentit alors une force invisible et entendit une voix qui le guida vers un endroit sûr. Cette voix était celle de son père...

Une vieille histoire

Cette histoire est vieille de 2000 ans. Il y avait une maison, à Athènes, dans laquelle personne ne voulait habiter, car on y était harcelé par le fantôme d'un vieil homme enchaîné. Lorsque le philosophe Athénodorus y emménagea, il entendit lui aussi d'étranges murmures. Un jour, un fantôme apparut et le conduisit dans le jardin, où il lui montra tristement un endroit. Le lendemain, les autorités déterrèrent les os d'un vieil homme avec des chaînes autour des poignets et des chevilles. Lorsque le corps fut correctement enseveli, le fantôme ne vint plus hanter la maison.

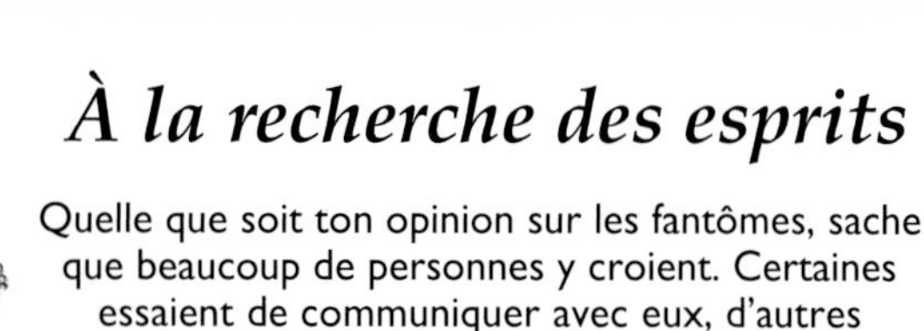

À la recherche des esprits

Quelle que soit ton opinion sur les fantômes, sache que beaucoup de personnes y croient. Certaines essaient de communiquer avec eux, d'autres cherchent une explication logique à leur existence. Voici quelques exemples de ce que l'on peut penser ou croire.

La voix des fantômes

En Occident, des personnes appelées médiums prétendent pouvoir parler aux esprits. Entrer en contact avec des gens décédés par l'intermédiaire d'un médium était courant au début de ce siècle.

Lors d'une réunion, appelée séance, le médium entrait dans une espèce de transe et pouvait alors communiquer des messages adressés par les esprits aux personnes de la pièce.

Certains médiums étaient des imposteurs, mais pas tous...

Des explications scientifiques ?

Selon les théories modernes, il serait fort peu probable qu'un fantôme soit vraiment l'esprit d'une personne. Voici comment certains expliquent les différents phénomènes.

Télépathie

Les esprits de personnes vivantes sont liés par télépathie - aptitude à faire passer la pensée d'une personne à l'autre. Quand le message est vraiment fort, le cerveau du « récepteur » peut l'interpréter comme une image visuelle ou un fantôme. Par exemple, un agriculteur australien en voyage dans une ville lointaine reçut la visite du fantôme de sa femme. À son retour, il découvrit que sa femme avait été tuée au moment exact où elle lui était apparue. C'est souvent à l'instant de la mort que les fantômes rendent des visites.

Les couleurs passent

On pense que les fantômes des morts ont pour origine un événement violent, comme un meurtre, ce qui crée une force qui « imprime » une image psychique à l'endroit où cela s'est déroulé. L'image reste parce qu'elle absorbe l'énergie de l'air (comme la chaleur). C'est pourquoi les fantômes sont souvent associés à une sensation de frisson. Cette image peut « survivre » de nombreuses années, mais elle finit par s'effacer petit à petit.

Une femme disparaît

On rapporte qu'au XVIIIe siècle on vit le fantôme d'une femme vêtue de rouge. Plus tard, on revit son fantôme, mais en rose, puis en blanc. En 1939, seuls ses pas étaient audibles, en 1971, des ouvriers ne ressentirent qu'une présence.

Rapport posthume

Le dirigeable R101 s'écrasa en France en 1930. Deux jours plus tard, il semblerait que son défunt capitaine ait parlé au travers du médium Eileen Garrett. Avec la voix du capitaine, elle décrivit la catastrophe avec des détails que seul celui-ci pouvait connaître.

Le dirigeable s'est écrasé le jour de son premier vol.

Dessine des fantômes

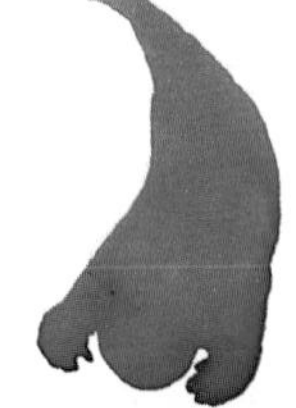

Si tu aimes les histoires de fantômes, tu peux t'en fabriquer et les décorer toi-même. Voici quelques trucs pour créer des effets spéciaux.

Vaisseau fantôme

Pour dessiner ce bateau, humidifie au préalable la feuille de dessin. Avec un pinceau, dépose par petites touches de la gouache ou du pastel. La peinture va s'étendre et se mêler sur le papier humide. Une fois sec, dessine le bateau avec un feutre gris. Ajoute de l'écume en tamponnant de la peinture blanche autour de la coque avec un chiffon ou de l'essuie-tout.

Ce bateau, le Palatine, fut pillé et incendié en 1752. On aperçoit parfois son fantôme en flammes au large des côtes des États-Unis.

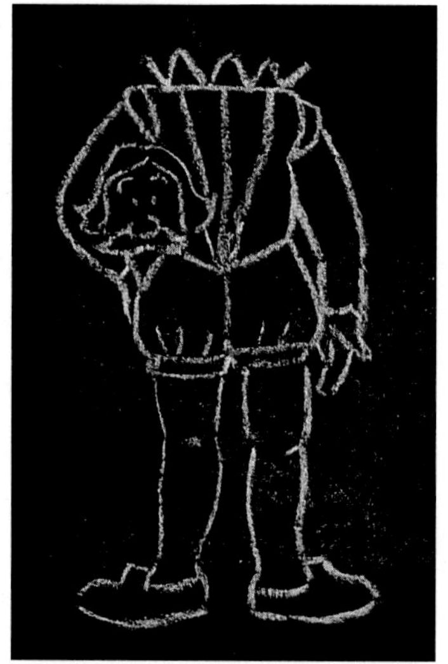

Fantôme sans tête

Pour obtenir un effet inquiétant, dessine avec une craie un fantôme en costume d'époque sur une feuille à dessin noire.

Commence par dessiner au crayon à papier un homme en bâtonnets, comme ci-contre. Trace la tête à la moitié du corps, comme si elle était tenue sous le bras.

Joins les lignes des épaules à celle de la taille, ajoute fraise, pieds et autres détails. Repasse sur les contours avec une craie, puis frotte avec le doigt.

Cimetière hanté

Noircis une feuille de papier blanche avec un crayon fusain puis dessine avec une gomme des pierres tombales, un fantôme, des brins d'herbe. Souligne les formes ainsi créées et ajoute des détails au fusain comme sur ce dessin.

Fantômes transparents

Certains fantômes semblent glisser au travers des objets. Voici un moyen d'obtenir un effet de transparence.

1. Trace les contours d'une pièce ou d'un autre décor au crayon.
2. Dessine les fantômes dans le décor avec un crayon à la cire.
3. Passe une fine couche d'eau sur le dessin, puis fais des bandes à la gouache pendant que le papier est encore humide.
4. Lorsque la peinture est bien sèche, repasse au feutre noir sur les contours que tu as dessinés au crayon.

Ombres inquiétantes

Ces ombres ont leur propre et inquiétante identité, bien distincte de la personne ou de la chose auxquelles elles appartiennent. Recopie-les ou invente les tiennes pour créer un effet « fanto-comique ».

L'ombre de la pendule ressemble à une tête de monstre.

Peins les ombres en bleu foncé.

Celle-là ressemble à un mauvais esprit tapant sur l'épaule.

Les ombres sont plus longues et plus fines que l'objet original.

Voici l'ombre d'un monstre prêt à attaquer.

Les ombres partent des pieds de la personne ou de la base de l'objet.

Index

Illustrations supplémentaires : Elaine Lee, Seonaid Mackenzie, Ray Jones, Oliver Frey, Rob McCaig, Sarah Simpson.
Ce livre contient des références tirées de plusieurs ouvrages publiés précédemment par les éditions Usborne.